Andrew Brodie Basics

LET'S DO ARITHMETIC

FOR AGES 6-7

- Matched to National Curriculum tests
- 400 practice questions
- Develops essential number skills for speed and accuracy

with over **100** reward stickers

Published 2016 by Bloomsbury Publishing Plc
50 Bedford Square, London, WC1B 3DP

www.bloomsbury.com

Bloomsbury is a registered trademark of Bloomsbury Publishing Plc

ISBN 978-1-4729-2366-0

First published 2016
© 2016 Andrew Brodie
Cover and inside illustrations of Louis the Lion and Andrew Brodie © 2016 Nikalas Catlow

A CIP catalogue for this book is available from the British Library.

10 9 8 7 6 5 4 3 2 1

Printed in China by Leo Paper Products

This book is produced using paper that is made from wood grown in managed, sustainable forests. It is natural, renewable and recyclable. The logging and manufacturing process conform to the environmental regulations of the country of origin.

To see our full range of titles visit www.bloomsbury.com

BLOOMSBURY

INTRODUCTION

This is the second in the series of Andrew Brodie *Let's Do Arithmetic* books. The book contains 400 arithmetic questions, deliberately designed to cover the following key aspects of the 'Number' section of the National Curriculum:

- Number and place value
- Addition and subtraction
- Multiplication and division
- Fractions

This book has been specifically written to match the updated National Curriculum tests, in which an arithmetic paper replaces the old mental maths tests. The paper consists of 35–40 questions that range from basic addition and subtraction to calculations with fractions at Key Stage 2. Your child will have 30 minutes to complete the test, so it will be useful for them to practise against the clock.

Your child will benefit most greatly if you have the opportunity to discuss the questions with them. You may find that your child gains low scores when they first begin to take the tests. Make sure that they don't lose confidence. Instead, encourage them to learn from their mistakes.

The level of difficulty increases gradually throughout the book, but note that some questions are repeated. This is to ensure that pupils learn vital new facts: they may not know the answer to a particular question the first time they encounter it, but this provides the opportunity for you to help them to learn it for the next time that they come across it. Don't be surprised if they need to practise certain questions lots of times.

It can be helpful to put up posters on the bedroom wall, showing facts such as the number bonds to ten – in other words, all the addition and subtraction facts that involve numbers up to ten, e.g. $4 + 2 = 6$, $9 - 5 = 4$. Once your child is confident with these, practise the number bonds to 20 then begin looking at bonds to 100.

TALK ABOUT FRACTIONS:

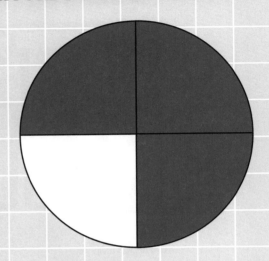

Explain that this circle has been split into 4 pieces, so we are dealing with quarters; 3 out of 4 of these are shaded, so the fraction shaded is three quarters. We write one quarter like this: $\frac{1}{4}$. We write three quarters like this: $\frac{3}{4}$.

Children gain confidence by learning facts that they can use in their future arithmetic work. With lots of practice they will see their score improve and will learn to find maths both satisfying and enjoyable.

1   5 + 6 = ☐

2   12 + 4 = ☐

3   10 − 3 = ☐

4   5 − 3 = ☐

5 $\frac{1}{2}$ of 6 = ☐

6   7 + 2 = ☐

7   16 + 8 = ☐

8   14 − 5 = ☐

9   22 − 3 = ☐

10 $\frac{1}{2}$ of 10 = ☐

REWARD STICKER!

"Are you quick at adding and subtracting?"

TOTAL SCORE

1 $9 + 7 =$ [ ]

6 $8 + 7 =$ [ ]

2 $24 + 10 =$ [ ]

7 $17 + 6 =$ [ ]

3 $10 - 7 =$ [ ]

8 $23 - 5 =$ [ ]

4 $8 - 5 =$ [ ]

9 $30 - 4 =$ [ ]

REWARD STICKER!

5 $\frac{1}{2}$ of $8 =$ [ ]

10 $\frac{1}{2}$ of $18 =$ [ ]

"Read the questions carefully."

TOTAL SCORE

1   6 + ☐ = 10

2   17 + 5 = ☐

3   15 – 9 = ☐

4   9 – 5 = ☐

5 $\frac{1}{2}$ of 16 = ☐

6   12 + 7 = ☐

7   24 + 6 = ☐

8   28 – ☐ = 24

9   25 – 6 = ☐

10 $\frac{1}{2}$ of 20 = ☐

REWARD STICKER!

"Don't forget to add when you see this sign: +"

TOTAL SCORE

5

TEST 4

1 $9 + \boxed{} = 20$

2 $7 + 6 = \boxed{}$

3 $20 - \boxed{} = 17$

4 $12 - 8 = \boxed{}$

5 $\frac{1}{2}$ of $12 = \boxed{}$

6 $4 + 4 + 4 = \boxed{}$

7 $38 + 2 = \boxed{}$

8 $26 - 8 = \boxed{}$

9 $40 - 5 = \boxed{}$

10 $\frac{1}{2}$ of $22 = \boxed{}$

"Don't forget to subtract when you see this sign: –"

REWARD STICKER!

TOTAL SCORE

TEST 5

1. $9 + \boxed{} = 12$

6. $21 + 9 = \boxed{}$

2. $23 + 7 = \boxed{}$

7. $32 + 6 = \boxed{}$

3. $14 - 8 = \boxed{}$

8. $20 - \boxed{} = 12$

4. $40 - 6 = \boxed{}$

9. $33 - 8 = \boxed{}$

5. $\frac{1}{2}$ of $22 = \boxed{}$

10. $\frac{1}{2}$ of $24 = \boxed{}$

"How quickly can you count up to 50 in ones?"

TOTAL SCORE

7

TEST 6

1 5 + 6 = ☐

2 15 + ☐ = 20

3 17 − 4 = ☐

4 30 − 7 = ☐

5 4 x 2 = ☐

6 5 + 5 + 5 = ☐

7 42 + 10 = ☐

8 34 − 10 = ☐

9 20 − ☐ = 14

10 7 x 2 = ☐

REWARD STICKER!

"How quickly can you count down in ones from 50 to 0?"

TOTAL SCORE

1 Double 8 = ☐

6 3 + 3 + 3 = ☐

2 4 + ☐ = 20

7

$$\begin{array}{r} 2\ \ 3 \\ +\quad\ \ 6 \\ \hline \\ \hline \end{array}$$

3 17 – 6 = ☐

8 43 – 6 = ☐

4 30 – 8 = ☐

9 43 – ☐ = 23

5 5 x 2 = ☐

10 3 x 2 = ☐

"How quickly can you count up to 24 in twos?"

TOTAL SCORE

1 9 + 3 =

6 7 + 7 + 7 =

2 24 + ☐ = 54

7 Double 6 =

3 50 – 7 =

8 23 – 9 =

4 12 – 5 =

9 30 – 14 =

REWARD STICKER!

5 11 x 2 =

10 8 x 2 =

"How quickly can you count down from 24 to 0 in twos?"

TOTAL
SCORE

1 8 + 5 = ⬜

6 8 + 7 + 6 = ⬜

2 32 + 20 = ⬜

7 17 + ⬜ = 27

3 14 – 7 = ⬜

8 50 – 8 = ⬜

4 20 – ⬜ = 11

9 42 – ⬜ = 30

5 $\frac{1}{2}$ of 24 = ⬜

10 12 x 2 = ⬜

REWARD STICKER!

"If I had fingers I would use them for counting on and counting back."

TOTAL SCORE

REWARD STICKER!

1 5 + 7 = ☐

2 6 + ☐ = 14

3 12 − 8 = ☐

4 19 − ☐ = 13

5 3 x 5 = ☐

6 3 + 9 + 5 = ☐

7 28 + 30 = ☐

8
$$\begin{array}{r} 2\ 1 \\ +\quad 8 \\ \hline \\ \hline \end{array}$$

9
$$\begin{array}{r} 3\ 7 \\ -\quad 6 \\ \hline \\ \hline \end{array}$$

10 7 x 5 = ☐

"Do you know your two times table?"

TOTAL SCORE

1 9 + 8 = [　　　]

6 7 + 6 + 5 = [　　　]

2 6 + [　　　] = 15

7 34 + 40 = [　　　]

3 12 − 9 = [　　　]

8
```
    3   3
+       5
─────────

─────────
```

4 24 − [　　　] = 17

9
```
    4   8
−       6
─────────

─────────
```

5 4 x 5 = [　　　]

10 8 x 5 = [　　　]

"I can use columns for adding. Can you?"

TOTAL SCORE

1 Double 5 = ▢

2 8 + ▢ = 16

3 20 – 9 = ▢

4 28 – ▢ = 16

5 5 x 5 = ▢

6 6 + 7 + 8 = ▢

7 27 + 50 = ▢

8
```
    1  9
+      5
_____
```

9
```
    3  9
–      8
_____
```

10 10 x 5 = ▢

REWARD STICKER!

" I can use columns for subtracting. Can you?"

TOTAL

SCORE

14

1 Double 9 =

6 5 + 7 + 9 =

2 7 + ▢ = 11

7 34 + 50 =

3 20 – 13 =

8
```
    1  7
+      8
─────────

```

4 30 – ▢ = 19

9
```
    4  7
–      6
─────────

```

REWARD STICKER!

5 6 x 5 =

10 11 x 5 =

"How quickly can you count up in tens to 100?"

TOTAL SCORE

1 Double 7 = ☐

2 8 + ☐ = 15

3 20 − 17 = ☐

4 30 − ☐ = 17

5 9 x 5 = ☐

6 3 + 4 + 8 = ☐

7 47 + 50 = ☐

8
```
    3  4
+   1  2
_____
```

9
```
    3  4
−   1  3
_____
```

10 12 x 5 = ☐

"How quickly can you count down in tens from 100 to 0?"

TOTAL SCORE

1 Double 12 = ☐

6 6 + 4 + 8 = ☐

2 9 + ☐ = 17

7 35 + 50 = ☐

3 21 − 15 = ☐

8

```
    2  2
+   1  6
_____
```

4 30 − ☐ = 12

9

```
    3  7
−   1  2
_____
```

REWARD STICKER!

5 10 ÷ 2 = ☐

10 20 ÷ 2 = ☐

"How quickly can you count up in fives to 50?"

TOTAL SCORE

TEST

1 Double 10 = ☐

6 2 + 7 + 9 = ☐

2 ☐ + 10 = 17

7 56 + 7 = ☐

3 20 − 14 = ☐

8
$$\begin{array}{r} 3\ 5 \\ +\ 1\ 2 \\ \hline \\ \hline \end{array}$$

REWARD STICKER!

4 30 − ☐ = 23

9
$$\begin{array}{r} 4\ 9 \\ -\ 2\ 5 \\ \hline \\ \hline \end{array}$$

5 8 ÷ 2 = ☐

10 22 ÷ 2 = ☐

"How quickly can you count down in fives from 50 to 0?"

TOTAL SCORE

1 Double 9 = ⬚

6 6 + 3 + 8 = ⬚

2 ⬚ + 10 = 43

7 68 + 9 = ⬚

3 20 – 17 = ⬚

8

```
    4  3
 +  1  4
 _____

 _____
```

4 30 – ⬚ = 21

9

```
    7  6
 –  3  2
 _____

 _____
```

5 6 ÷ 2 = ⬚

10 14 ÷ 2 = ⬚

"How quickly can you count up in ones to 100?"

TOTAL SCORE

18 TEST

1 Double 8 = [ ]

6 2 + 4 + 7 = [ ]

2 [ ] + 10 = 62

7 57 + 9 = [ ]

3 40 – 2 = [ ]

8
```
    6  5
 +  2  4
 _____
```

REWARD STICKER!

4 30 – [ ] = 23

9
```
    8  8
 –  2  3
 _____
```

5 12 ÷ 2 = [ ]

10 18 ÷ 2 = [ ]

"How quickly can you count down in ones from 100 to 0?"

TOTAL SCORE

1 Double 6 = ☐

6 $2 + 8 + 9 =$ ☐

2 ☐ $+ 10 = 95$

7 $63 + 9 =$ ☐

3 $70 - 9 =$ ☐

8
```
    4  3
+   2  6
_____

_____
```

4 $50 -$ ☐ $= 40$

9
```
    9  7
-   3  1
_____

_____
```

5 $10 \div 5 =$ ☐

10 $30 \div 5 =$ ☐

"Are you getting faster at adding?"

REWARD STICKER!

TOTAL SCORE

21

REWARD STICKER!

1 ½ of 8 = [   ]

2 [   ] + 10 = 32

3 90 – 9 = [   ]

4 60 – [   ] = 40

5 15 ÷ 5 = [   ]

6 6 + 5 + 8 = [   ]

7 88 + 9 = [   ]

8
```
    6  5
+   3  3
_____
```

9
```
    8  6
–   4  5
_____
```

10 40 ÷ 5 = [   ]

"Are you getting faster at subtracting?"

TOTAL SCORE

1 $\frac{1}{2}$ of 12 = _____

6 6 + 7 + 7 = _____

2 _____ + 10 = 67

7 67 + 9 = _____

3 73 − 9 = _____

8
```
    4  2
+   5  3
_____
```

4 100 − _____ = 50

9
```
    9  9
−   3  6
_____
```

5 20 ÷ 5 = _____

10 35 ÷ 5 = _____

"How many twos are there in 8?"

TOTAL SCORE

23

1 $\frac{1}{2}$ of 20 = [ ]

6 8 + 7 + 4 = [ ]

2 [ ] + 20 = 48

7 43 + 8 = [ ]

3 56 – 9 = [ ]

8
```
    3  6
+   2  3
_____
```

REWARD STICKER!

4 100 – [ ] = 90

9
```
    4  6
–   3  6
_____
```

5 25 ÷ 5 = [ ]

10 50 ÷ 5 = [ ]

"How many twos are there in 10?"

TOTAL

SCORE

1. $\frac{1}{2}$ of 24 = ☐

6. 8 + 9 + 3 = ☐

2. ☐ + 20 = 75

7. 62 + 8 = ☐

3. 56 − 8 = ☐

8.
```
    5  6
+   1  4
_____
```

4. 100 − ☐ = 80

9.
```
    7  8
−   5  8
_____
```

5. 45 ÷ 5 = ☐

10. 55 ÷ 5 = ☐

REWARD STICKER!

"How many twos are there in 12?"

TOTAL SCORE

1 $\frac{1}{2}$ of 40 = [ ]

6 9 + 9 + 9 = [ ]

2 [ ] + 20 = 36

7 83 + 8 = [ ]

3 74 − 8 = [ ]

8
```
    4   7
+   2   3
_____
```

REWARD STICKER!

4 100 − [ ] = 70

9
```
    9   6
−   4   6
_____
```

5 5 ÷ 5 = [ ]

10 60 ÷ 5 = [ ]

"How many twos are there in 20?"

TOTAL SCORE

1   ½ of 60 = ☐

6   6 + 6 + 9 = ☐

2   ☐ + 20 = 82

7   64 + 8 = ☐

3   92 – 8 = ☐

8
```
      6   7
 +    2   3
 _____
```

4   100 – ☐ = 60

9
```
      5   8
 –    1   8
 _____
```

5   2 x 10 = ☐

10   6 x 10 = ☐

"How many fives are there in 10?"

TOTAL SCORE

TEST

1 ½ of 80 = [ ]

6 6 + 6 + 5 = [ ]

2 [ ] + 20 = 47

7 77 + 8 = [ ]

3 75 – 8 = [ ]

8
```
    5  8
+   3  2
_____

_____
```

REWARD STICKER!

4 100 – [ ] = 40

9
```
    9  7
–   3  7
_____

_____
```

5 3 x 10 = [ ]

10 7 x 10 = [ ]

"How many fives are there in 15?"

TOTAL SCORE

1 $\frac{1}{2}$ of 100 = ☐

2 ☐ + 30 = 89

3 46 − 8 = ☐

4 100 − ☐ = 30

5 4 x 10 = ☐

6 6 + 6 + 8 = ☐

7 88 + 8 = ☐

8
```
    2  9
 +  2  1
_____

```

9
```
    9  0
 −  4  3
_____

```

REWARD STICKER!

10 8 x 10 = ☐

"How many fives are there in 20?"

28 TEST

1 $\frac{1}{2}$ of 30 = [ ]

6 7 + 5 + 8 = [ ]

2 [ ] + 30 = 72

7 27 + 6 = [ ]

3 73 − 7 = [ ]

8
```
    3  8
+   1  4
_____
```

4 100 − [ ] = 20

9
```
    9  0
−   5  2
_____
```

5 5 x 10 = [ ]

10 9 x 10 = [ ]

"How many fives are there in 25?"

TOTAL SCORE

1 $\frac{1}{2}$ of 50 = ☐

2 ☐ + 30 = 100

3 82 − 7 = ☐

4 100 − ☐ = 10

5 10 x 10 = ☐

6 2 x 3 = ☐

7 85 + 6 = ☐

8
```
    4  7
+   1  5
_____

```

9
```
    9  0
−   6  3
_____

```

10 11 x 10 = ☐

REWARD STICKER!

TOTAL SCORE

"How many fives are there in 50?"

31

TEST

1 $\frac{1}{2}$ of 70 = [ ]

6 3 x 3 = [ ]

2 [ ] + 11 = 100

7 47 + 6 = [ ]

3 91 – 7 = [ ]

8
```
    5   6
+   1   7
_____
```

4 100 – 23 = [ ]

9
```
    8   1
–   4   8
_____
```

REWARD STICKER!

5 0 x 10 = [ ]

10 12 x 10 = [ ]

"Do you know your five times table?"

TOTAL

SCORE

1 ½ of 90 = ☐

6 4 x 3 = ☐

2 ☐ + 21 = 100

7 68 + 6 = ☐

3 55 − 6 = ☐

8
```
    4   9
+   2   6
_____
```

4 100 − 34 = ☐

9
```
    7   2
−   3   5
_____
```

5 100 ÷ 10 = ☐

10 30 ÷ 10 = ☐

"How quickly can you count up in fives to 100?"

TOTAL SCORE

1 $\frac{1}{4}$ of 8 = [ ]

6 4 x 4 = [ ]

2 $\frac{1}{4}$ of 12 = [ ]

7 89 + 6 = [ ]

3 81 − 6 = [ ]

8
$$\begin{array}{cc} & 5 \quad 4 \\ + & 3 \quad 7 \\ \hline \end{array}$$

4 100 − 45 = [ ]

9
$$\begin{array}{cc} & 8 \quad 7 \\ - & 3 \quad 5 \\ \hline \end{array}$$

5 90 ÷ 10 = [ ]

10 20 ÷ 10 = [ ]

REWARD STICKER!

"How quickly can you count down in fives from 100 to 0?"

TOTAL SCORE

1 $\frac{1}{4}$ of 16 = [   ]

6 6 x 0 = [   ]

2 5 x 4 = [   ]

7 39 + 5 = [   ]

3 81 – 5 = [   ]

8
```
    4   8
+   3   6
─────────
```

4 100 – 63 = [   ]

9
```
    7   1
–   4   8
─────────
```

5 80 ÷ 10 = [   ]

10 10 ÷ [   ] = 1

"Can you count in threes to 30?"

TOTAL SCORE

TEST

1 $\frac{3}{4}$ of 8 = ☐

2 $\frac{1}{4}$ of 20 = ☐

3 92 − 5 = ☐

REWARD STICKER!

4 100 − 54 = ☐

5 70 ÷ 10 = ☐

6 7 x 3 = ☐

7 68 + 5 = ☐

8
```
    5  9
+   3  6
_____
```

9
```
    8  2
−   4  6
_____
```

10 6 x 4 = ☐

"How quickly can you complete the test?"

TOTAL SCORE

1 $\frac{3}{4}$ of 12 = ☐

2 $\frac{1}{4}$ of 16 = ☐

3 73 − 5 = ☐

4 100 − 82 = ☐

5 60 ÷ ☐ = 6

6 8 x 3 = ☐

7 37 + 5 = ☐

8
```
    4   3
+   2   5
―――――――――
```

9
```
    9   1
−   5   4
―――――――――
```

10 3 x 4 = ☐

"Can you count in fours to 40?"

TOTAL SCORE

36 TEST

1 $\frac{1}{2}$ of 24 = ☐

2 $\frac{1}{4}$ of 20 = ☐

3 82 − 5 = ☐

REWARD STICKER!

4 100 − 53 = ☐

5 90 ÷ 10 = ☐

6 9 x ☐ = 27

7 48 + 5 = ☐

8
```
    5  6
+   3  9
_____
```

9
```
    8  9
−   4  5
_____
```

10 7 x 4 = ☐

"What is double 15?"

TOTAL SCORE

38

1 $\frac{1}{2}$ of 26 = [ ]

2 $\frac{1}{4}$ of 12 = [ ]

3 65 − [ ] = 54

4 100 − 46 = [ ]

5 12 ÷ 3 = [ ]

6 9 x 4 = [ ]

7 53 + 11 = [ ]

8
```
    2  8
+   2  8
_____

```

9
```
    7  1
−   4  5
_____

```

10 11 x 4 = [ ]

REWARD STICKER!

"What is half of 24?"

TOTAL SCORE

38

TEST

1 $\frac{1}{2}$ of 28 =

2 Double 12 =

3 73 – 11 =

4 100 – 22 =

5 15 ÷ 3 =

6 12 x ☐ = 48

7 82 + 11 =

8
```
      3  6
 +    3  6
 ─────────
```

9
```
      8  4
 −    5  9
 ─────────
```

10 2 x 6 =

"Are you getting faster?"

TOTAL SCORE

1 $\frac{1}{4}$ of 28 =

2 Double 15 =

3 68 – 11 =

4 100 – 19 =

5 18 ÷ 3 =

6 12 x 5 =

7 89 + 11 =

8
```
    4   8
+   4   8
_____
```

9
```
    6   5
–   3   8
_____
```

10 $\frac{3}{4}$ of 12 =

REWARD STICKER!

"What are twelve threes?"

40 TEST

1 $\frac{1}{4}$ of 24 = ◻

2 Double 25 = ◻

3 51 – 11 = ◻

4 100 – 75 = ◻

5 27 ÷ ◻ = 9

6 3 x 25 = ◻

7 99 + 11 = ◻

8
```
      5   9
  +   5   9
  _____

```

9
```
  1   2   0
  –     4   9
  _____

```

10 $\frac{3}{4}$ of 16 = ◻

"This is the last test!"

TOTAL SCORE

ANSWERS

1

1. $5 + 6 = 11$
2. $12 + 4 = 16$
3. $10 - 3 = 7$
4. $5 - 3 = 2$
5. $\frac{1}{2}$ of $6 = 3$
6. $7 + 2 = 9$
7. $16 + 8 = 24$
8. $14 - 5 = 9$
9. $22 - 3 = 19$
10. $\frac{1}{2}$ of $10 = 5$

2

1. $9 + 7 = 16$
2. $24 + 10 = 34$
3. $10 - 7 = 3$
4. $8 - 5 = 3$
5. $\frac{1}{2}$ of $8 = 4$
6. $8 + 7 = 15$
7. $17 + 6 = 23$
8. $23 - 5 = 18$
9. $30 - 4 = 26$
10. $\frac{1}{2}$ of $18 = 9$

3

1. $6 + 4 = 10$
2. $17 + 5 = 22$
3. $15 - 9 = 6$
4. $9 - 5 = 4$
5. $\frac{1}{2}$ of $16 = 8$
6. $12 + 7 = 19$
7. $24 + 6 = 30$
8. $28 - 4 = 24$
9. $25 - 6 = 19$
10. $\frac{1}{2}$ of $20 = 10$

4

1. $9 + 11 = 20$
2. $7 + 6 = 13$
3. $20 - 3 = 17$
4. $12 - 8 = 4$
5. $\frac{1}{2}$ of $12 = 6$
6. $4 + 4 + 4 = 12$
7. $38 + 2 = 40$
8. $26 - 8 = 18$
9. $40 - 5 = 35$
10. $\frac{1}{2}$ of $22 = 11$

5

1. $9 + 3 = 12$
2. $23 + 7 = 30$
3. $14 - 8 = 6$
4. $40 - 6 = 34$
5. $\frac{1}{2}$ of $22 = 11$
6. $21 + 9 = 30$
7. $32 + 6 = 38$
8. $20 - 8 = 12$
9. $33 - 8 = 25$
10. $\frac{1}{2}$ of $24 = 12$

6

1. $5 + 6 = 11$
2. $15 + 5 = 20$
3. $17 - 4 = 13$
4. $30 - 7 = 23$
5. $4 \times 2 = 8$
6. $5 + 5 + 5 = 15$
7. $42 + 10 = 52$
8. $34 - 10 = 24$
9. $20 - 6 = 14$
10. $7 \times 2 = 14$

7

1. Double $8 = 16$
2. $4 + 16 = 20$
3. $17 - 6 = 11$
4. $30 - 8 = 22$
5. $5 \times 2 = 10$
6. $3 + 3 + 3 = 9$
7.
$$
\begin{array}{r}
2\ \ 3 \\
+\quad 6 \\
\hline
2\ \ 9 \\
\end{array}
$$
8. $43 - 6 = 37$
9. $43 - 20 = 23$
10. $3 \times 2 = 6$

8

1. $9 + 3 = 12$
2. $24 + 30 = 54$
3. $50 - 7 = 43$
4. $12 - 5 = 7$
5. $11 \times 2 = 22$
6. $7 + 7 + 7 = 21$
7. Double $6 = 12$
8. $23 - 9 = 14$
9. $30 - 14 = 16$
10. $8 \times 2 = 16$

9

1. $8 + 5 = 13$
2. $32 + 20 = 52$
3. $14 - 7 = 7$
4. $20 - 9 = 11$
5. $\frac{1}{2}$ of $24 = 12$
6. $8 + 7 + 6 = 21$
7. $17 + 10 = 27$
8. $50 - 8 = 42$
9. $42 - 12 = 30$
10. $12 \times 2 = 24$

10

1. $5 + 7 = 12$
2. $6 + 8 = 14$
3. $12 - 8 = 4$
4. $19 - 6 = 13$
5. $3 \times 5 = 15$
6. $3 + 9 + 5 = 17$
7. $28 + 30 = 58$
8.
$$\begin{array}{r} 2\ \ 1 \\ +\ \ \ \ \ 8 \\ \hline 2\ \ 9 \end{array}$$
9.
$$\begin{array}{r} 3\ \ 7 \\ -\ \ \ \ \ 6 \\ \hline 3\ \ 1 \end{array}$$
10. $7 \times 5 = 35$

11

1. $9 + 8 = 17$
2. $6 + 9 = 15$
3. $12 - 9 = 3$
4. $24 - 7 = 17$
5. $4 \times 5 = 20$
6. $7 + 6 + 5 = 18$
7. $34 + 40 = 74$
8.
$$\begin{array}{r} 3\ \ 3 \\ +\ \ \ \ \ 5 \\ \hline 3\ \ 8 \end{array}$$
9.
$$\begin{array}{r} 4\ \ 8 \\ -\ \ \ \ \ 6 \\ \hline 4\ \ 2 \end{array}$$
10. $8 \times 5 = 40$

12

1. Double $5 = 10$
2. $8 + 8 = 16$
3. $20 - 9 = 11$
4. $28 - 12 = 16$
5. $5 \times 5 = 25$
6. $6 + 7 + 8 = 21$
7. $27 + 50 = 77$
8.
$$\begin{array}{r} 1\ \ 9 \\ +\ \ \ \ \ 5 \\ \hline 2\ \ 4 \\ {\scriptstyle 1} \end{array}$$
9.
$$\begin{array}{r} 3\ \ 9 \\ -\ \ \ \ \ 8 \\ \hline 3\ \ 1 \end{array}$$
10. $10 \times 5 = 50$

13

1. Double $9 = 18$
2. $7 + 4 = 11$
3. $20 - 13 = 7$
4. $30 - 11 = 19$
5. $6 \times 5 = 30$
6. $5 + 7 + 9 = 21$
7. $34 + 50 = 84$
8.
$$\begin{array}{r} 1\ \ 7 \\ +\ \ \ \ \ 8 \\ \hline 2\ \ 5 \\ {\scriptstyle 1} \end{array}$$
9.
$$\begin{array}{r} 4\ \ 7 \\ -\ \ \ \ \ 6 \\ \hline 4\ \ 1 \end{array}$$
10. $11 \times 5 = 55$

14

1. Double $7 = 14$
2. $8 + 7 = 15$
3. $20 - 17 = 3$
4. $30 - 13 = 17$
5. $9 \times 5 = 45$
6. $3 + 4 + 8 = 15$
7. $47 + 50 = 97$
8.
$$\begin{array}{r} 3\ \ 4 \\ +\ 1\ \ 2 \\ \hline 4\ \ 6 \end{array}$$
9.
$$\begin{array}{r} 3\ \ 4 \\ -\ 1\ \ 3 \\ \hline 2\ \ 1 \end{array}$$
10. $12 \times 5 = 60$

15

1. Double $12 = 24$
2. $9 + 8 = 17$
3. $21 - 15 = 6$
4. $30 - 18 = 12$
5. $10 \div 2 = 5$
6. $6 + 4 + 8 = 18$
7. $35 + 50 = 85$
8.
$$\begin{array}{r} 2\ \ 2 \\ +\ 1\ \ 6 \\ \hline 3\ \ 8 \end{array}$$
9.
$$\begin{array}{r} 3\ \ 7 \\ -\ 1\ \ 2 \\ \hline 2\ \ 5 \end{array}$$
10. $20 \div 2 = 10$

16

1. Double $10 = 20$
2. $7 + 10 = 17$
3. $20 - 14 = 6$
4. $30 - 7 = 23$
5. $8 \div 2 = 4$
6. $2 + 7 + 9 = 18$
7. $56 + 7 = 63$
8.
$$\begin{array}{r} 3\ \ 5 \\ +\ 1\ \ 2 \\ \hline 4\ \ 7 \end{array}$$
9.
$$\begin{array}{r} 4\ \ 9 \\ -\ 2\ \ 5 \\ \hline 2\ \ 4 \end{array}$$
10. $22 \div 2 = 11$

17

1. Double 9 = 18
2. $33 + 10 = 43$
3. $20 - 17 = 3$
4. $30 - 9 = 21$
5. $6 \div 2 = 3$
6. $6 + 3 + 8 = 17$
7. $68 + 9 = 77$
8.
$$\begin{array}{r} 4\ 3 \\ +\ 1\ 4 \\ \hline 5\ 7 \end{array}$$
9.
$$\begin{array}{r} 7\ 6 \\ -\ 3\ 2 \\ \hline 4\ 4 \end{array}$$
10. $14 \div 2 = 7$

18

1. Double 8 = 16
2. $52 + 10 = 62$
3. $40 - 2 = 38$
4. $30 - 7 = 23$
5. $12 \div 2 = 6$
6. $2 + 4 + 7 = 13$
7. $57 + 9 = 66$
8.
$$\begin{array}{r} 6\ 5 \\ +\ 2\ 4 \\ \hline 8\ 9 \end{array}$$
9.
$$\begin{array}{r} 8\ 8 \\ -\ 2\ 3 \\ \hline 6\ 5 \end{array}$$
10. $18 \div 2 = 9$

19

1. Double 6 = 12
2. $85 + 10 = 95$
3. $70 - 9 = 61$
4. $50 - 10 = 40$
5. $10 \div 5 = 2$
6. $2 + 8 + 9 = 19$
7. $63 + 9 = 72$
8.
$$\begin{array}{r} 4\ 3 \\ +\ 2\ 6 \\ \hline 6\ 9 \end{array}$$
9.
$$\begin{array}{r} 9\ 7 \\ -\ 3\ 1 \\ \hline 6\ 6 \end{array}$$
10. $30 \div 5 = 6$

20

1. $\frac{1}{2}$ of 8 = 4
2. $22 + 10 = 32$
3. $90 - 9 = 81$
4. $60 - 20 = 40$
5. $15 \div 5 = 3$
6. $6 + 5 + 8 = 19$
7. $88 + 9 = 97$
8.
$$\begin{array}{r} 6\ 5 \\ +\ 3\ 3 \\ \hline 9\ 8 \end{array}$$
9.
$$\begin{array}{r} 8\ 6 \\ -\ 4\ 5 \\ \hline 4\ 1 \end{array}$$
10. $40 \div 5 = 8$

21

1. $\frac{1}{2}$ of 12 = 6
2. $57 + 10 = 67$
3. $73 - 9 = 64$
4. $100 - 50 = 50$
5. $20 \div 5 = 4$
6. $6 + 7 + 7 = 20$
7. $67 + 9 = 76$
8.
$$\begin{array}{r} 4\ 2 \\ +\ 5\ 3 \\ \hline 9\ 5 \end{array}$$
9.
$$\begin{array}{r} 9\ 9 \\ -\ 3\ 6 \\ \hline 6\ 3 \end{array}$$
10. $35 \div 5 = 7$

22

1. $\frac{1}{2}$ of 20 = 10
2. $28 + 20 = 48$
3. $56 - 9 = 47$
4. $100 - 10 = 90$
5. $25 \div 5 = 5$
6. $8 + 7 + 4 = 19$
7. $43 + 8 = 51$
8.
$$\begin{array}{r} 3\ 6 \\ +\ 2\ 3 \\ \hline 5\ 9 \end{array}$$
9.
$$\begin{array}{r} 4\ 6 \\ -\ 3\ 6 \\ \hline 1\ 0 \end{array}$$
10. $50 \div 5 = 10$

23

1. $\frac{1}{2}$ of 24 = 12
2. $55 + 20 = 75$
3. $56 - 8 = 48$
4. $100 - 20 = 80$
5. $45 \div 5 = 9$
6. $8 + 9 + 3 = 20$
7. $62 + 8 = 70$
8.
$$\begin{array}{r} 5\ 6 \\ +\ 1\ 4 \\ \hline 7\ 0 \\ ^1 \end{array}$$
9.
$$\begin{array}{r} 7\ 8 \\ -\ 2\ 8 \\ \hline 5\ 0 \end{array}$$
10. $55 \div 5 = 11$

24

1. $\frac{1}{2}$ of 40 = 20
2. $16 + 20 = 36$
3. $74 - 8 = 66$
4. $100 - 30 = 70$
5. $5 \div 5 = 1$
6. $9 + 9 + 9 = 27$
7. $83 + 8 = 91$
8.
$$\begin{array}{r} 4\ 7 \\ +\ 2\ 3 \\ \hline 7\ 0 \\ ^1 \end{array}$$
9.
$$\begin{array}{r} 9\ 6 \\ -\ 4\ 6 \\ \hline 5\ 0 \end{array}$$
10. $60 \div 5 = 12$

25

1. $\frac{1}{2}$ of 60 = 30
2. 62 + 20 = 82
3. 92 − 8 = 84
4. 100 − 40 = 60
5. 2 x 10 = 20
6. 6 + 6 + 9 = 21
7. 64 + 8 = 72
8.
```
    6 7
  + 2 3
  ─────
    9 0
      1
```
9.
```
    5 8
  − 1 8
  ─────
    4 0
```
10. 6 x 10 = 60

26

1. $\frac{1}{2}$ of 80 = 40
2. 27 + 20 = 47
3. 75 − 8 = 67
4. 100 − 60 = 40
5. 3 x 10 = 30
6. 6 + 6 + 5 = 17
7. 77 + 8 = 85
8.
```
    5 8
  + 3 2
  ─────
    9 0
      1
```
9.
```
    9 7
  − 3 7
  ─────
    6 0
```
10. 7 x 10 = 70

27

1. $\frac{1}{2}$ of 100 = 50
2. 59 + 30 = 89
3. 46 − 8 = 38
4. 100 − 70 = 30
5. 4 x 10 = 40
6. 6 + 6 + 8 = 20
7. 88 + 8 = 96
8.
```
    2 9
  + 2 1
  ─────
    5 0
      1
```
9.
```
   ⁸9 ¹0
  − 4 3
  ─────
    4 7
```
10. 8 x 10 = 80

28

1. $\frac{1}{2}$ of 30 = 15
2. 42 + 30 = 72
3. 73 − 7 = 66
4. 100 − 80 = 20
5. 5 x 10 = 50
6. 7 + 5 + 8 = 20
7. 27 + 6 = 33
8.
```
    3 8
  + 1 4
  ─────
    5 2
      1
```
9.
```
   ⁸9 ¹0
  − 5 2
  ─────
    3 8
```
10. 9 x 10 = 90

29

1. $\frac{1}{2}$ of 50 = 25
2. 70 + 30 = 100
3. 82 − 7 = 75
4. 100 − 90 = 10
5. 10 x 10 = 100
6. 2 x 3 = 6
7. 85 + 6 = 91
8.
```
    4 7
  + 1 5
  ─────
    6 2
      1
```
9.
```
   ⁸9 ¹0
  − 6 3
  ─────
    2 7
```
10. 11 x 10 = 110

30

1. $\frac{1}{2}$ of 70 = 35
2. 89 + 11 = 100
3. 91 − 7 = 84
4. 100 − 23 = 77
5. 0 x 10 = 0
6. 3 x 3 = 9
7. 47 + 6 = 53
8.
```
    5 6
  + 1 7
  ─────
    7 3
      1
```
9.
```
   ⁷8 ¹1
  − 4 8
  ─────
    3 3
```
10. 12 x 10 = 120

31

1. $\frac{1}{2}$ of 90 = 45
2. 79 + 21 = 100
3. 55 − 6 = 49
4. 100 − 34 = 66
5. 100 ÷ 10 = 10
6. 4 x 3 = 12
7. 68 + 6 = 74
8.
```
    4 9
  + 2 6
  ─────
    7 5
      1
```
9.
```
   ⁶7 ¹2
  − 3 5
  ─────
    3 7
```
10. 30 ÷ 10 = 3

32

1. $\frac{1}{4}$ of 8 = 2
2. $\frac{1}{4}$ of 12 = 3
3. 81 − 6 = 75
4. 100 − 45 = 55
5. 90 ÷ 10 = 9
6. 4 x 4 = 16
7. 89 + 6 = 95
8.
```
    5 4
  + 3 7
  ─────
    9 1
      1
```
9.
```
    8 7
  − 3 5
  ─────
    5 2
```
10. 20 ÷ 10 = 2

33

1. $\frac{1}{4}$ of 16 = 4
2. 5 × 4 = 20
3. 81 − 5 = 76
4. 100 − 63 = 37
5. 80 ÷ 10 = 8
6. 6 × 0 = 0
7. 39 + 5 = 44
8.
```
    4 8
  + 3 6
    8 4
     1
```
9.
```
   6 7 1 1
  −  4 8
     2 3
```
10. 10 ÷ 10 = 1

34

1. $\frac{3}{4}$ of 8 = 6
2. $\frac{1}{4}$ of 20 = 5
3. 92 − 5 = 87
4. 100 − 54 = 46
5. 70 ÷ 10 = 7
6. 7 × 3 = 21
7. 68 + 5 = 73
8.
```
    5 9
  + 3 6
    9 5
     1
```
9.
```
   7 8 1 2
  −  4 6
     3 6
```
10. 6 × 4 = 24

35

1. $\frac{3}{4}$ of 12 = 9
2. $\frac{1}{4}$ of 16 = 4
3. 73 − 5 = 68
4. 100 − 82 = 18
5. 60 ÷ 10 = 6
6. 8 × 3 = 24
7. 37 + 5 = 42
8.
```
    4 3
  + 2 5
    6 8
```
9.
```
   8 9 1 1
  −  5 4
     3 7
```
10. 3 × 4 = 12

36

1. $\frac{1}{2}$ of 24 = 12
2. $\frac{1}{4}$ of 20 = 5
3. 82 − 5 = 77
4. 100 − 53 = 47
5. 90 ÷ 10 = 9
6. 9 × 3 = 27
7. 48 + 5 = 53
8.
```
    5 6
  + 3 9
    9 5
     1
```
9.
```
    8 9
  − 4 5
    4 4
```
10. 7 × 4 = 28

37

1. $\frac{1}{2}$ of 26 = 13
2. $\frac{1}{4}$ of 12 = 3
3. 65 − 11 = 54
4. 100 − 46 = 54
5. 12 ÷ 3 = 4
6. 9 × 4 = 36
7. 53 + 11 = 64
8.
```
    2 8
  + 2 8
    5 6
     1
```
9.
```
   6 7 1 1
  −  4 5
     2 6
```
10. 11 × 4 = 44

38

1. $\frac{1}{2}$ of 28 = 14
2. Double 12 = 24
3. 73 − 11 = 62
4. 100 − 22 = 78
5. 15 ÷ 3 = 5
6. 12 × 4 = 48
7. 82 + 11 = 93
8.
```
    3 6
  + 3 6
    7 2
     1
```
9.
```
   7 8 1 4
  −  5 9
     2 5
```
10. 2 × 6 = 12

39

1. $\frac{1}{4}$ of 28 = 7
2. Double 15 = 30
3. 68 − 11 = 57
4. 100 − 19 = 81
5. 18 ÷ 3 = 6
6. 12 × 5 = 60
7. 89 + 11 = 100
8.
```
    4 8
  + 4 8
    9 6
     1
```
9.
```
   5 6 5 1
  −  3 8
     2 7
```
10. $\frac{3}{4}$ of 12 = 9

40

1. $\frac{1}{4}$ of 24 = 6
2. Double 25 = 50
3. 51 − 11 = 40
4. 100 − 75 = 25
5. 27 ÷ 3 = 9
6. 3 × 25 = 75
7. 99 + 11 = 110
8.
```
    5 9
  + 5 9
    1 1 8
       1
```
9.
```
   0 1 11 1 1 0
  −    4 9
       7 1
```
10. $\frac{3}{4}$ of 16 = 12

CHART YOUR PROGRESS

Shade in the chart to record your score in each test.

SCORE

TEST	1	2	3	4	5	6	7	8	9	10
1										
2										
3										
4										
5										
6										
7										
8										
9										
10										
11										
12										
13										
14										
15										
16										
17										
18										
19										
20										
21										
22										
23										
24										
25										
26										
27										
28										
29										
30										
31										
32										
33										
34										
35										
36										
37										
38										
39										
40										